经典诗词集字创作·九成宫碑

徐方震 编著

上海书画出版社

目　录

创作提示

临写达到一定水平时可以尝试创作，以增加学书的兴趣，同时也可以在创作中检验临摹的水平，提高临写质量。创作之前应仔细选择好书写内容，以免错漏，书写内容和幅式章法要通盘考虑。可以从字数少的诗词入手，甚至可以从一首诗中挑选精彩的联句或好词佳句，逐步过渡到创作长篇的诗词。

扇面一般可分折扇和团扇两种。由于折扇上宽下窄，形成上松下紧的局面，因此创作内容字数不宜多，可单独一行或两行书于扇面上端，留出下面空白以作对比。字与字之间，左右可紧密些但不能点画粘连。落款可长于正文，以增加错落感。

斗方形式容易写得整齐有余而生动不足，用楷书书写更是如此，所以要在字的大小、点画粗细、字间距、形式等方面加以变化。可以把字相对集中于纸面中间，四周留白较多，落款简洁，使整幅作品静穆而不呆板。

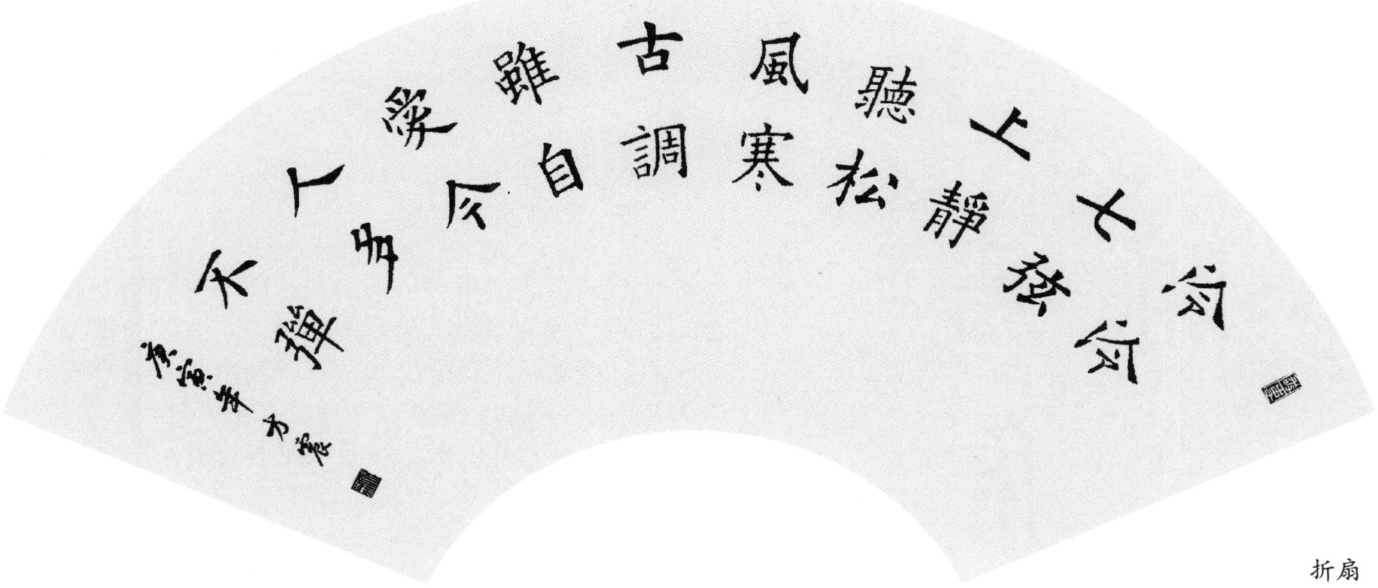

折扇

横幅

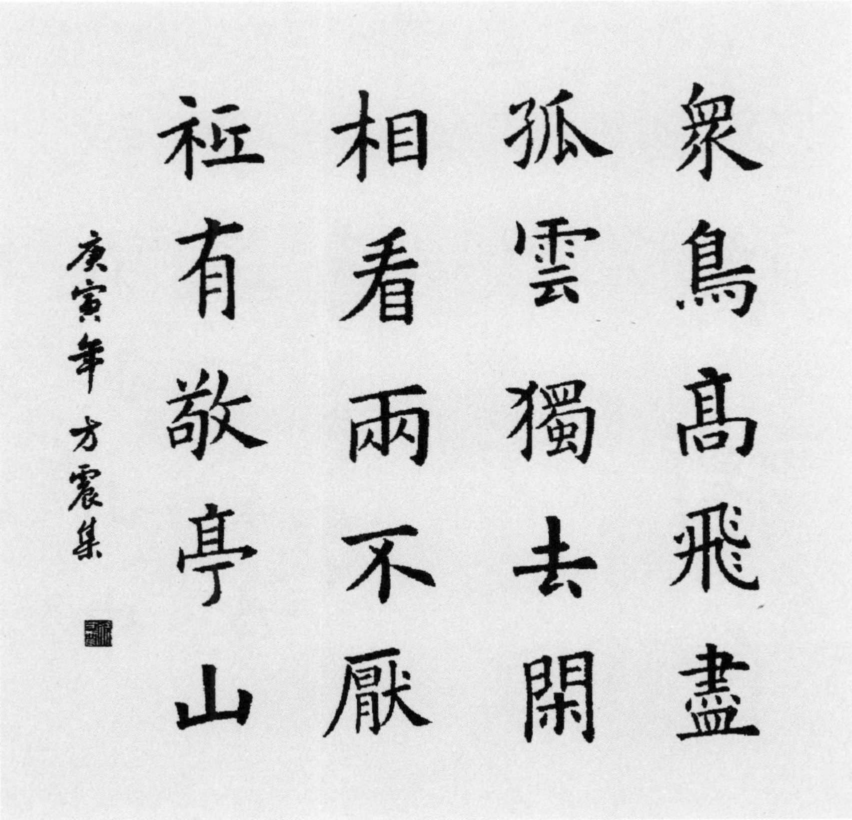

斗方

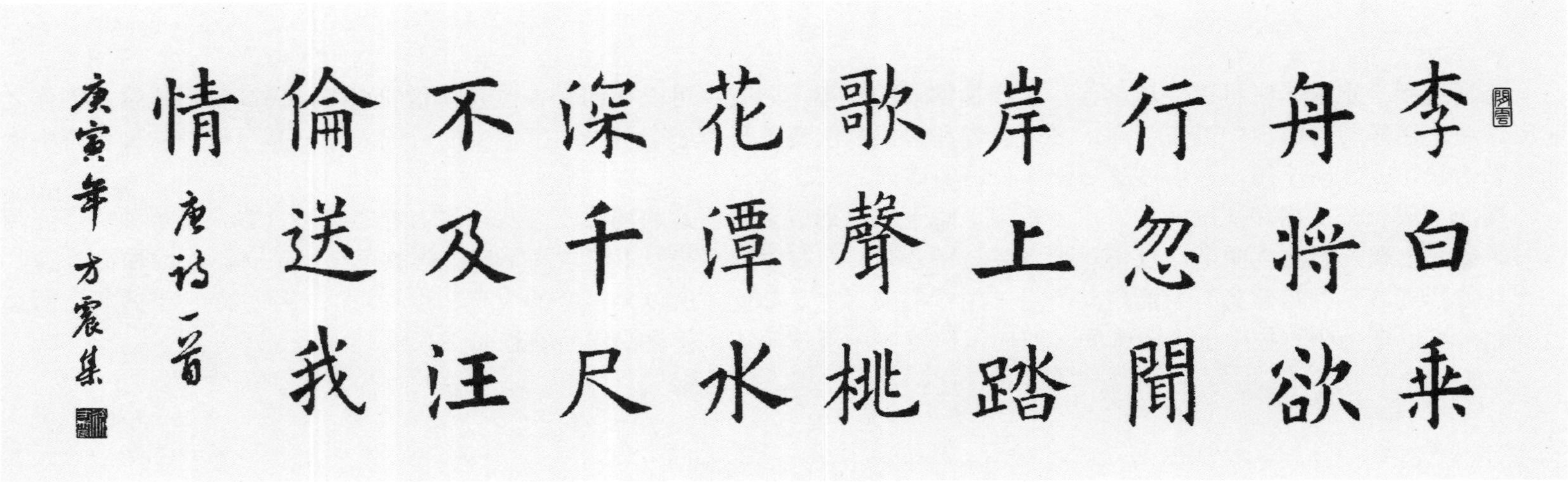

横幅

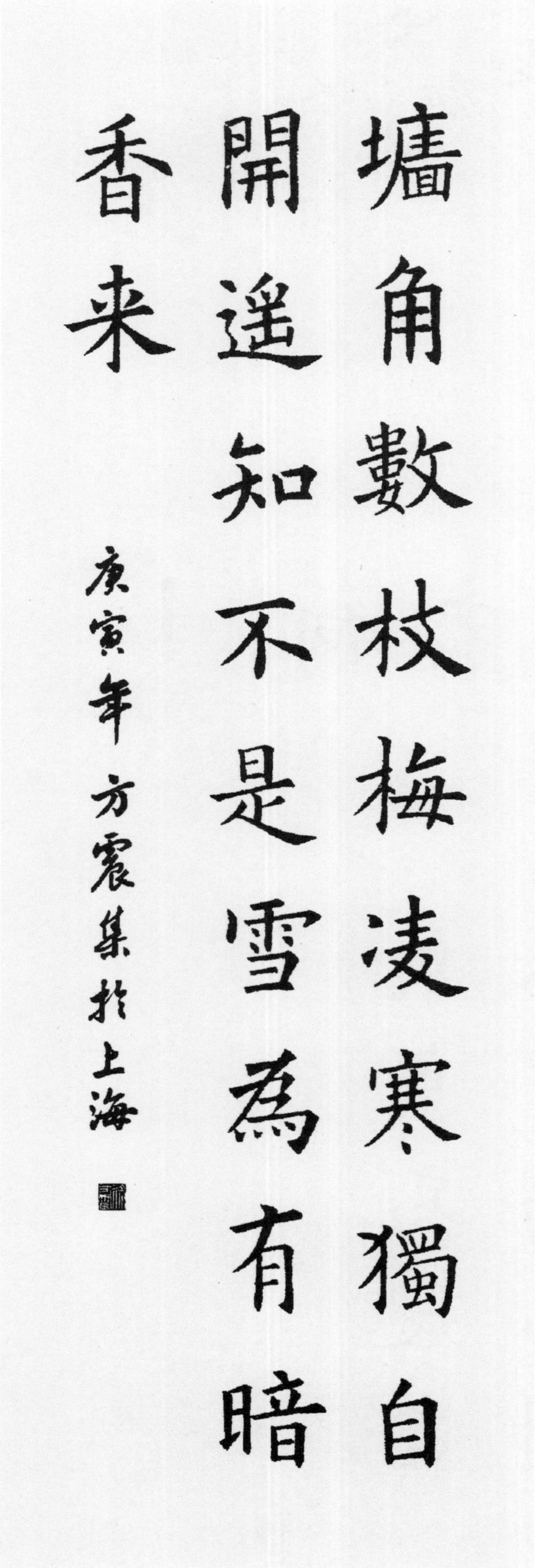

条幅

创作提示

团扇的形式要讲究因形就势。圆形对方块字似乎是一种限制，但利用好的话就会起到互补作用。可以尝试将正文书写在格子内，两边可以落上下款，形成圆中带方的形式，这其实是斗方和团扇的结合，章法上严谨又有变化。

横幅形式行短列长，重点要处理好行与行之间的关系，就是指字的左右、宽窄、大小、空白等关系要妥帖得当。字数少的可以从右到左单独一列，比较疏朗；书写多字横幅时，可取两行或多行形式，要在整齐中求变化。正文右上方可盖一起首章，左侧落款要简洁，使左右协调，以达到整体均衡的效果。

条幅是指狭长的直写形式，是最常用的创作幅式。其为纵向取势，在书写中宜把字距拉开，使上下舒展。字数少的作品要避免过空，可以在左右两侧落款，起到补白的效果。多字条幅可采用横有列、纵有行，整齐有序的创作形式，可略微增大些行距，也可用打界格的方式把字写在方框内，但不宜撑得太满，字与字之间要留有足够的空间。

综合幅式

铃印是完成书法作品的最后一关，亦是平衡章法的手段之一。用印宜少而精，位置一定要根据作品的布局而定，如画龙点睛。一般姓名章必不可少，多正方形，其次是斋号章或闲章，形状可多样。

对联是把一对对仗的句子分别书写在两张相同大小直幅纸上的形式，左右对称形成一个整体。书写时要把上下联的字头尾对齐，大小呼应，使左右相应协调。从诗词中挑选出精彩的联句以对联的形式创作，可形成独立的作品，一般有五言、六言、七言等。落款可采用单款，也可落上下款，下款位置一般要低于上款。

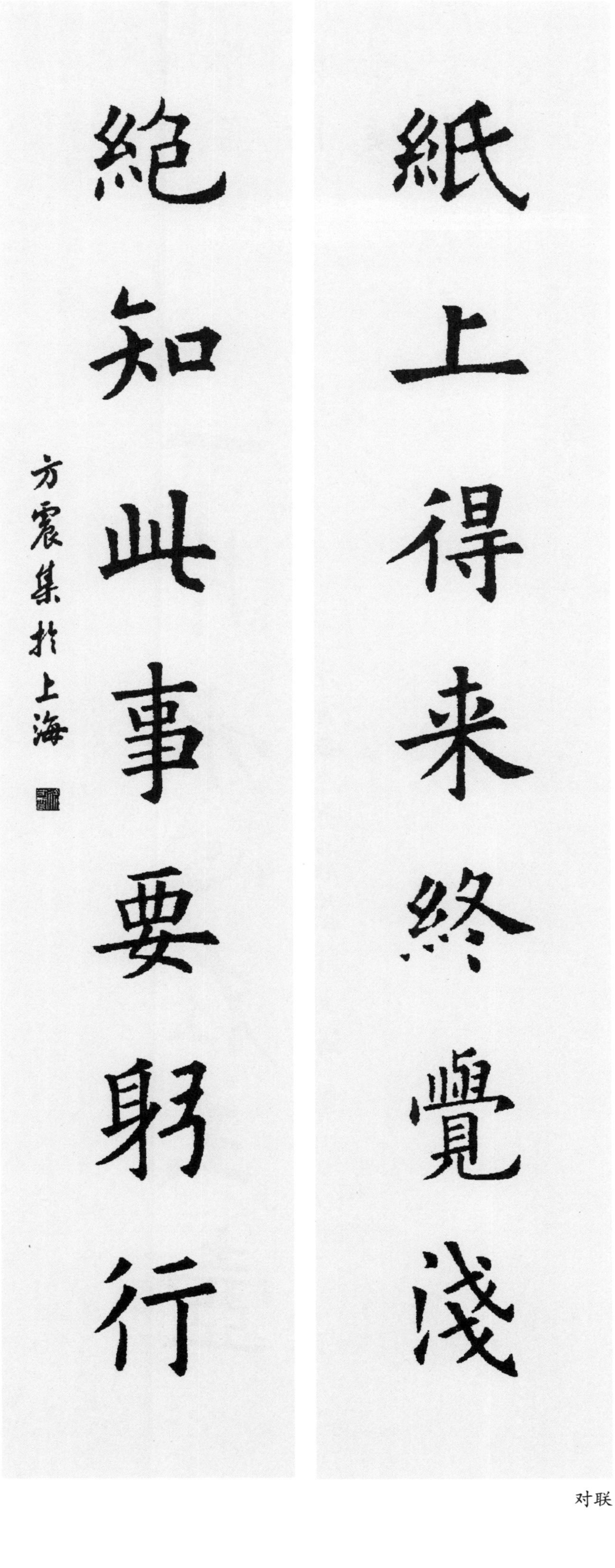
紙上得来終覺浅
絶知此事要躬行
方震集於上海

对联

離別家鄉歲月多近来人事半
消磨惟有門前湖鏡水春風不
改舊時波
庚寅年 方震集於上海

条幅

创作提示

采用中堂形式来创作，其特点是容量大，气势宏伟，字要写得稍大些但不能显得拥挤。落款形式可多样化（同样适合条幅等章法）。若正文末行空白多，可直接书写时间及书者姓名等内容；留空少的，就只落书写者的名字，称为穷款。也可以在正文左边题写长款，可书创作时间、诗词题目、书写者等内容。

对于创作来说，除非非常简短的内容，一般不要一开始就从头至尾完整书写，对于作品中需要自己集结的字、特别难写的字或者比较复杂的落款，可先提取出来多加练习，以保障创作的成功率。如有条件可适当参加一些比赛或展览以提高自己的创作能力，树立自信心。

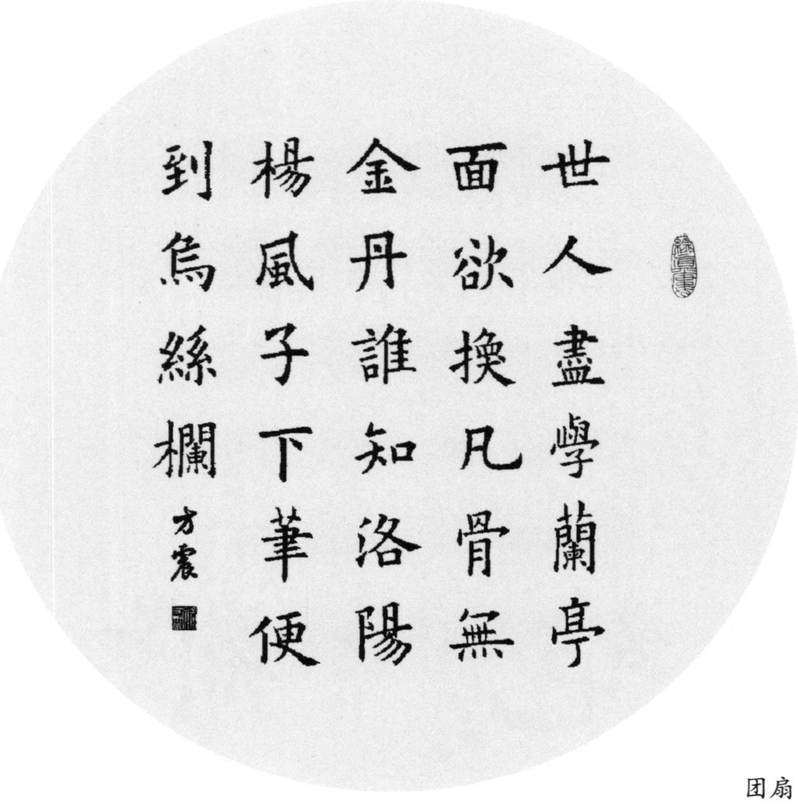

团扇

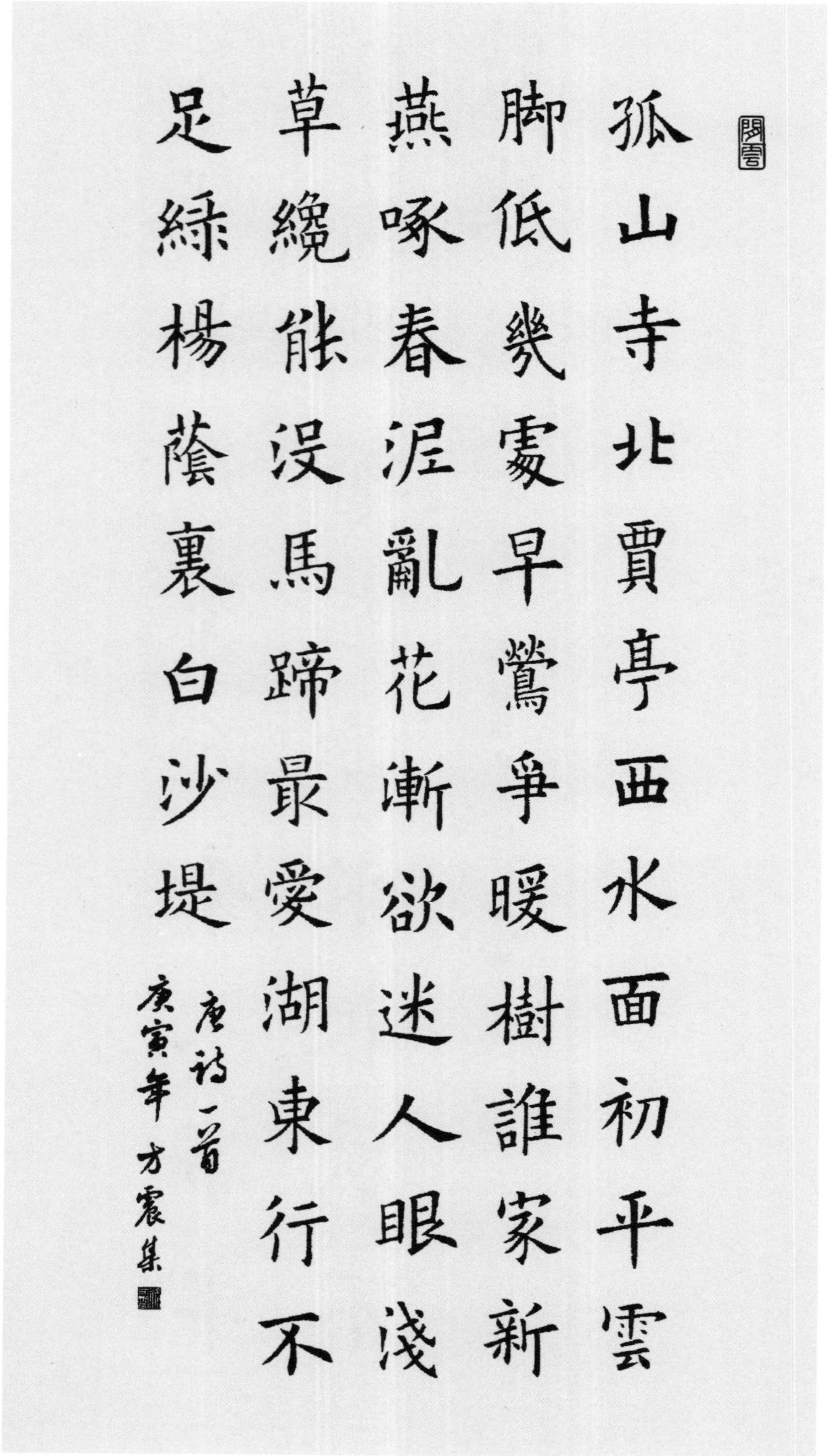

中堂

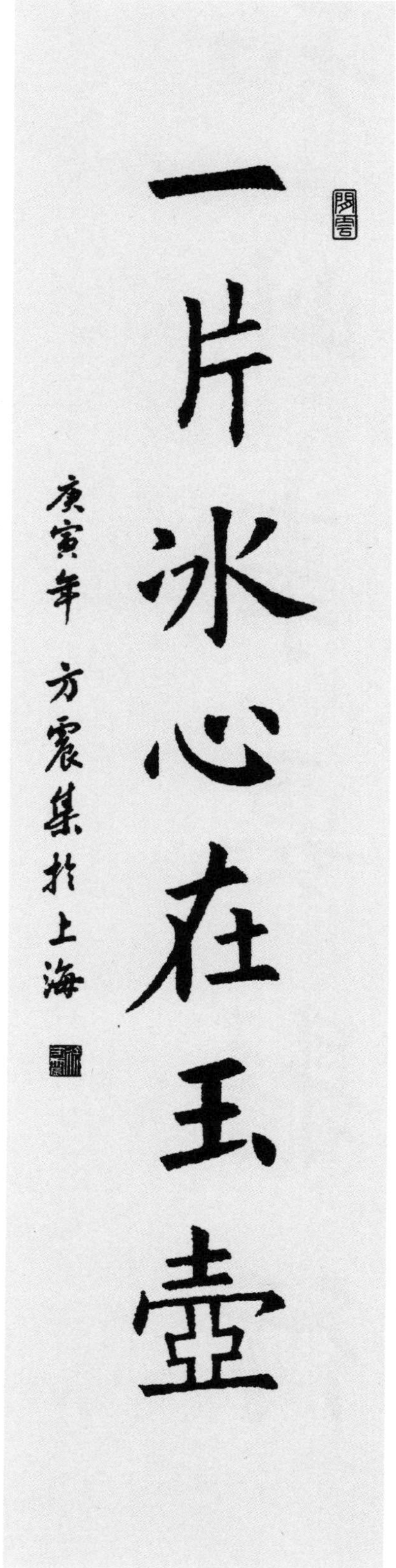

条幅

春眠不覺曉處處
聞啼鳥夜來風雨
聲花落知多少

《春晓》
唐·孟浩然

春眠不觉晓，处处闻啼鸟。夜来风雨声，花落知多少。
——《春晓》 唐·孟浩然

临习要点

《九成宫碑》是唐代著名书法家欧阳询的晚年作品，也是楷书临习的经典范本之一。其用笔精到，法度森严，中宫紧收，错落有致，具有平稳中见险峻的特点。

临写欧体楷书，首先要注重点画。要精确地把握不同点画起笔、行笔和收笔的要领，对点画粗细、大小、角度等方面也要仔细观察，一一表现。欧体属“瘦硬”一路，其点画又是以方笔为主，为避免因过于峻利而呈现的“露骨”之弊，其点画要写得滋润饱满一些，可适当加粗一些笔画，行笔也不宜过快。《九成宫碑》的点画藏头护尾，运笔含蓄，如学之不当，就会出现呆滞、了无生气的毛病，此可通过强化笔意和笔势的方法改进，使点画之间形成呼应。

欧体横画不宜写得太平，要略向右上取势，一字中出现多个横画时，要有粗细、长短、轻重等变化。竖画主要有悬针、垂露和弧竖几种。写竖时要逆势用锋，使其挺拔有力。

临习要点

欧体钩画也很丰富，有竖钩、斜钩、横折钩等，特别是浮鹅钩，保留隶书的笔意和形态，是欧体楷书的特别之处。写到钩时要稍提蹲，得势急出，宜短而重。

点在楷书中是难点。欧体的点行笔精到，形态饱满，无随便之处，要注意其运笔完整性。点的变化组合很多，如竖点、挑点、左右点、三点、四点等。点与点之间的呼应、顾盼关系要充分表达出来，使整个字灵动而有生气。

撇画有短撇、长撇、弯撇等形态变化，出锋时要边行边提，力送撇尖。

欧体的捺主要有平捺和反捺，有时还可写成如长点一样的反捺。写捺时向右下行笔，边行边按，铺开笔锋，稍转锋后向右提笔出锋，动作要果断。折画，不管是提笔折还是翻笔折，其转折处都要分明但不刻意描画，否则会失去笔意。

前月登高去猶嫌菊未黃秋風不相負特地再重陽

《闰九》宋·严粲

前月登高去，犹嫌菊未黄。秋风不相负，特地再重阳。

——《闰九》宋·严粲

松下問童子言師採藥去祇在此山中雲深不知處

《寻隐者不遇》
唐·贾岛

松下问童子，言师采药去。只在此山中，云深不知处。

——《寻隐者不遇》 唐·贾岛

临习要点

汉字的笔画繁简不一，形态各异，把它们组合在一起，使笔画之间的大小、长短、高低、宽窄、疏密等关系妥帖得当、恰到好处，这是间架结构的关键所在。欧体字形相对于其他楷书而言略微偏长，中宫紧收，同时缩左伸右，攲侧有致，创造出一种稳中求险的艺术效果。

独体字一般笔画较少，故通常字形略小，点画稍粗。书写时要求重心稳定，角度适当，主笔突出。

左右结构字要根据左右两部分大小、宽窄合理安排比例，或左右均等，或左窄右宽，或左宽右窄。同时也要有穿插、错落、呼应、避让等关系，使左右（或左中右）部分形成一个整体。上下结构字，按偏旁在字的上下位置所占比例多寡可分为上下均等、上宽下窄、上窄下宽或中间突出等几种类型。书写时要注意合理安排上下关系，上覆下载，重心稳定，但又不失微妙的错落变化。如遇上中下结构，可适当压缩调整笔画间距，以免字形过长。

写包围结构的字要处理好内外关系。一般半包围、三包围结构字，外面部分要舒展，里面被包部分要紧凑。全包围结构字形不宜太大、太方正，整体要适当收缩，内部点画要疏密得当，布白均衡。

生當作人傑死亦
爲鬼雄至今思項
羽不肯過江東

《夏日绝句》
宋·李清照

牀前明月光疑是

生当作人杰，死亦为鬼雄。至今思项羽，不肯过江东。
——《夏日绝句》宋·李清照

床前明月光，疑是地上霜。举头望明月，低头思故乡。
——《静夜思》唐·李白

地上霜舉頭望明

月低頭思故鄉

《静夜思》唐·李白

泠泠七弦上靜聽

松風寒古調雖自

泠泠七弦上，静听松风寒。古调虽自爱，今人多不弹。

——《弹琴》唐·刘长卿

墙角数枝梅，凌寒独自开。遥知不是雪，为有暗香来。
——《梅花》宋·王安石

愛令人多不彈

《弹琴》唐·刘长卿

墻角數枝梅淩寒

獨自開遙知不是

雪為有暗香来

《梅花》宋·王安石

衆鳥高飛盡孤雲

獨去閑相看兩不

厭祗有敬亭山

《独坐敬亭山》唐·李白

懷君屬秋夜散步

众鸟高飞尽，孤云独去闲。相看两不厌，只有敬亭山。
——《独坐敬亭山》唐·李白

怀君属秋夜，散步咏凉天。空山松子落，幽人应未眠。
——《秋夜寄邱二十二员外》唐·韦应物

詠涼天空山松子
落幽人應未眠

《秋夜寄邱二十二员外》 唐·韦应物

空山不見人但聞
人語響返景入深

空山不见人，但闻人语响。返景入深林，复照青苔上。

——《鹿柴》 唐·王维

林復照青苔上

《鹿柴》唐·王维

金谷園中柳春来似舞腰那堪好風景獨上洛陽橋

《洛桥》唐·李益

金谷园中柳，春来似舞腰。那堪好风景，独上洛阳桥。

——《洛桥》唐·李益

泉眼無聲惜細流
樹陰照水愛晴柔
小荷才露尖尖角
早有蜻蜓立上頭

泉眼无声惜细流，树阴照水爱晴柔。小荷才露尖尖角，早有蜻蜓立上头。

——《小池》宋·杨万里

小雪晴沙不作泥
疏簾紅日弄朝暉
年華已伴梅梢晚
春色先從草際歸

小雪晴沙不作泥，疏帘红日弄朝晖。年华已伴梅梢晚，春色先从草际归。

——《春近四绝句》宋·黄庭坚

世人盡學蘭亭面
欲換凡骨無金丹
誰知洛陽楊風子
下筆便到烏絲欄

世人尽学兰亭面，欲换凡骨无金丹。谁知洛阳杨风子，下笔便到乌丝栏。

——《跋杨凝式帖后》宋·黄庭坚

古人學問無遺力
少壯工夫老始成
紙上得來終覺淺
絕知此事要躬行

古人学问无遗力，少壮工夫老始成。纸上得来终觉浅，绝知此事要躬行。

——《冬夜读书示子聿》宋·陆游

虛空落泉千仞直
雷奔入江不暫息
千古長如白練飛
一條界破青山色

虚空落泉千仞直，雷奔入江不暂息。千古长如白练飞，一条界破青山色。

——《庐山瀑布》唐·徐凝

江南好，风景旧曾谙。日出江花红胜火，春来江水绿如蓝。能不忆江南？

——《忆江南》 唐·白居易

江南好風景舊曾
諳日出江花紅勝
火春来江水緑如
藍能不憶江南

《忆江南》 唐·白居易

碧玉妝成一樹高
萬條垂下綠絲縧
不知細葉誰裁出
二月春風似剪刀

碧玉妆成一树高，万条垂下绿丝绦。不知细叶谁裁出，二月春风似剪刀。

——《咏柳》唐·贺知章

人間四月芳菲盡
山寺桃花始盛開
長恨春歸無覓處
不知轉入此中来

人间四月芳菲尽，山寺桃花始盛开。长恨春归无觅处，不知转入此中来。

——《大林寺桃花》唐·白居易

朱雀橋邊野草花
烏衣巷口夕陽斜
舊時王謝堂前燕
飛入尋常百姓家

朱雀桥边野草花，乌衣巷口夕阳斜。旧时王谢堂前燕，飞入寻常百姓家。

——《乌衣巷》唐·刘禹锡

李白乘舟將欲行
忽聞岸上踏歌聲
桃花潭水深千尺
不及汪倫送我情

李白乘舟将欲行，忽闻岸上踏歌声。桃花潭水深千尺，不及汪伦送我情。

——《赠汪伦》 唐·李白

新年都未有芳華
二月初驚見草芽
白雪卻嫌春色晚
故穿庭樹作飛花

新年都未有芳华，二月初惊见草芽。白雪却嫌春色晚，故穿庭树作飞花。

——《春雪》唐·韩愈

山光物態弄春暉
莫爲輕陰便擬歸
縱使晴明無雨色
入雲深處亦霑衣

山光物态弄春晖，莫为轻阴便拟归。纵使晴明无雨色，入云深处亦沾衣。

——《山中留客》 唐·张旭

離別家鄉歲月多
近來人事半消磨
惟有門前鏡湖水
春風不改舊時波

离别家乡岁月多，近来人事半消磨。唯有门前镜湖水，春风不改旧时波。

——《回乡偶书》（其一）唐·贺知章

寒雨連江夜入吳
平明送客楚山孤
洛陽親友如相問
一片冰心在玉壺

寒雨连江夜入吴，平明送客楚山孤。洛阳亲友如相问，一片冰心在玉壶。

——《芙蓉楼送辛渐》唐·王昌龄

月落烏啼霜滿天
江楓漁火對愁眠
姑蘇城外寒山寺
夜半鐘聲到客船

月落乌啼霜满天，江枫渔火对愁眠。姑苏城外寒山寺，夜半钟声到客船。

——《枫桥夜泊》唐·张继

空山新雨後天氣
晚来秋明月松間
照清泉石上流竹
喧歸浣女蓮動下

空山新雨后，天气晚来秋。明月松间照，清泉石上流。竹喧归浣女，莲动下渔舟。随意春芳歇，王孙自可留。

——《山居秋暝》 唐·王维

漁舟隨意春芳歇

王孫自可留

《山居秋暝》唐·王维

吾愛孟夫子風流

天下聞紅顏棄軒

吾爱孟夫子，风流天下闻。红颜弃轩冕，白首卧松云。醉月频中圣，迷花不事君。高山安可仰，徒此揖清芬。

——《赠孟浩然》唐·李白

冕白首臥松雲醉

月頻中聖迷花不

事君高山安可仰

徒此揖清芬

《贈孟浩然》
唐・李白

莫笑農家腊酒渾

豐年留客足雞豚

山重水復疑無路

柳暗花明又一邨

莫笑农家腊酒浑，丰年留客足鸡豚。山重水复疑无路，柳暗花明又一村。箫鼓追随春社近，衣冠简朴古风存。从今若许闲乘月，拄杖无时夜叩门。

——《游山西村》宋·陆游

簫鼓追隨春社近
衣冠簡樸古風存
從今若許閑乘月
拄杖無時夜叩門

霜後前林一向疏
丹楓落盡況黃梧
犯寒侵早看殘菊
怕熱平生不擁爐

霜后前林一向疏，丹枫落尽况黄梧。犯寒侵早看残菊，怕热平生不拥炉。老眼读书长作睡，病身得酒忽全苏。好诗排闷来寻我，一字何曾捻白须。

——《晓行东园》宋·杨万里

老眼讀書長作睡
病身得酒忽全蘇
好詩排闥来尋我
一字何曾捻白鬚

孤山寺北賈亭西
水面初平雲脚低
幾處早鶯爭暖樹
誰家新燕啄春泥

孤山寺北贾亭西，水面初平云脚低。几处早莺争暖树，谁家新燕啄春泥。乱花渐欲迷人眼，浅草才能没马蹄。最爱湖东行不足，绿杨阴里白沙堤。

——《钱塘湖春行》 唐·白居易

亂花漸欲迷人眼
淺草纔能沒馬蹄
最愛湖東行不足
綠楊陰裏白沙堤

图书在版编目(CIP)数据

九成宫碑/徐方震编著. —上海：上海书画出版社，2011.7

(经典诗词集字创作)

ISBN 978-7-5479-0207-3

Ⅰ.①九… Ⅱ.①徐… Ⅲ.①楷书—碑帖—中国—唐代 Ⅳ.①J292.24

中国版本图书馆CIP数据核字(2011)第110425号

经典诗词集字创作·九成宫碑

徐方震 编著

责任编辑　时洁芳
审　　读　沈培方
封面设计　王　峥
技术编辑　钱勤毅
责任校对　王惠国
版式设计　李　方

出版发行　上海世纪出版集团
上海书画出版社
地址　上海市闵行区号景路159弄A座4楼　201101
网址　www.shshuhua.com
E-mail　shcpph@163.com
印刷　上海景条印刷有限公司
经销　各地新华书店
开本　787×1092　1/8
印张　5
版次　2011年7月第1版　2023年1月第6次印刷

书号　ISBN 978-7-5479-0207-3
定价　25.00元